ESTE DINOSSAURO RECEBEU O NOME DE DIPLODOCO, QUE SIGNIFICA "DUPLA ALAVANCA". O SEU PESCOÇO MEDIA UM POUCO MAIS DE 7 METROS, E A PONTA DA SUA CAUDA ERA LONGA E AFINADA.

O DIPLODOCO FOI UM DOS MAIORES DINOSSAUROS QUE JÁ EXISTIRAM. MEDIA 27 METROS DE COMPRIMENTO (ERA MAIOR QUE UMA QUADRA DE TÊNIS) E TINHA O PESO DE DOIS ELEFANTES.

APESAR DO TAMANHO, ERA UM HERBÍVORO. ELE POSSUÍA FRÁGEIS MANDÍBULAS E SEUS DENTES SERVIAM SOMENTE PARA COMER PLANTAS.

ELE SE ERGUIA NAS PATAS TRASEIRAS PARA ALCANÇAR AS FOLHAS DAS ÁRVORES ALTAS.

ELE SE DEFENDIA COM SUAS PATAS DIANTEIRAS, QUE POSSUÍAM GARRAS AFIADAS, ALÉM DE SUA CAUDA, USADA COMO CHICOTE.